Le Caïman solitaire

collection météorite

Le Caïman solitaire

texte de Derlemari Nébardoum
illustrations de Denise Paquette

Pour la publication de ce livre, Bouton d'or Acadie a bénéficié de l'aide du Conseil des Arts du Canada, du ministère du Patrimoine canadien par l'entremise du Partenariat interministériel avec les communautés de langue officielle, et de la Direction des arts du Nouveau-Brunswick.

Titre : Le Caïman solitaire
Texte : Derlemari Nébardoum
Illustrations : Denise Paquette

ISBN : 2-922203-38-7

Dépôt légal : 4e trimestre 2001
Bibliothèque nationale du Canada
Bibliothèque nationale du Québec
Centre d'études acadiennes, Université de Moncton

204C - 236, rue Saint-Georges
Moncton (N.-B.), E1C 1W1
Téléphone : (506) 382-1367
Télécopieur : (506) 854-7577
Courriel : boutonor@nb.sympatico.ca
Site Internet : www.boutondoracadie.com

Aux enfants du pays

Mot de l'auteur

Les traditions orales ont des origines lointaines. Elles transmettent de génération en génération des messages d'amour, d'espoir, de sagesse...

Les contes africains présentent de nombreux personnages, qui sont parfois des hommes, des femmes ou des animaux. Ces personnages réussissent souvent à se sortir de situations difficiles. Quelquefois, ils se font prendre. Comme cela se passe dans la vraie vie.

Les deux côtés de la médaille cohabitent toujours. C'est ainsi que, dans un même conte africain, certains gagnent, d'autres perdent. Pour mieux instruire les jeunes et les moins jeunes.

1

Le vieux caïman à l'agonie

Il était une fois un caïman solitaire qui vivait dans un marigot peuplé de crocodiles. Il n'était pas marié et n'avait aucun enfant. Mais il aimait bien sa situation : avec son grand appétit, il dévorait ses proies toujours seul et ne partageait jamais ses repas.

Le caïman solitaire était bien heureux, jusqu'à cette saison trop chaude. Chaque jour, les rayons du soleil chauffaient très fort, et cela faisait baisser l'eau du marigot.

Toutes les familles de crocodiles déménageaient ensemble vers d'autres fleuves où il y avait plus d'eau. Cependant, personne ne voulait aider le caïman solitaire. Certains crocodiles disaient :

— Puisqu'il mange seul, qu'il déménage seul !

Tous les crocodiles étaient partis. Mais le caïman solitaire était malade et très vieux. Il ne pouvait pas parcourir de grandes distances.

Le marigot était maintenant à peine mouillé et le vieux caïman solitaire risquait de mourir : il était à l'agonie.

Heureusement, Kanji le pêcheur passait par là. Il demanda au vieux caïman :

— Que fais-tu dans ce marigot sec ?

— Tous les crocodiles m'ont abandonné. Si je reste dans cet endroit où il n'y a pas d'eau, je mourrai bientôt. S'il te plaît, aide-moi.

Kanji le pêcheur s'étonna :

— Comment pourrais-je t'aider ?

Je ne suis qu'un simple pêcheur.

Et le vieux caïman répondit :

— Tu me porteras sur ta tête jusqu'à la prochaine rivière et tu m'y déposeras. Je poursuivrai mon chemin.

Kanji le pêcheur avait peur. Il pensait que le vieux caïman lui tendait un piège. Alors, il lui posa la question :

— Est-ce que tu ne vas pas m'attaquer si je m'approche de toi ? Est-ce que tu ne vas pas me blesser ?

Le vieux caïman jura à Kanji de ne lui faire aucun mal. Pour le rassurer, il lui proposa :

— Tu m'attacheras fermement avec ton fil de pêche. Comme ça, je ne pourrai même pas bouger.

Kanji le pêcheur avait pitié du vieux caïman et accepta sa proposition. Il ficela le caïman et le hissa sur sa tête.

2

Kanji le pêcheur au secours du caïman

Le vieux caïman était très lourd. Kanji avait de la peine à avancer. Pourtant, il redoublait d'efforts. Il marcha longtemps, longtemps...

Lorsqu'ils arrivèrent au bord d'un étang, Kanji le pêcheur dit au caïman :

— Eh bien, c'est ici que je te laisse.

Mais le vieux caïman pria le pêcheur de l'emmener un peu plus loin dans l'eau. Il disait qu'il n'avait pas assez de forces pour nager.

Kanji le pêcheur entra dans l'étang, toujours avec le vieux caïman sur la tête. Quand il eut de l'eau jusqu'aux genoux, le pêcheur interrogea le vieux caïman :

— Est-ce que je peux te descendre ici ?

— Non, non, supplia le vieux caïman. Tu dois continuer encore.

Pour satisfaire le vieux caïman,

le pêcheur obéit.

Maintenant que l'eau montait jusqu'au cou de Kanji le pêcheur, le vieux caïman lui dit :

— Voilà, tu peux me déposer ici.

Kanji le pêcheur s'apprêtait à poser le vieux caïman au fond de l'étang. Mais, d'un seul coup de queue, le caïman brisa tous ses liens et bondit sur le pêcheur en lui disant :

— Pardonne-moi, pauvre pêcheur : je dois te manger ! Car, tu vois, je n'ai rien avalé depuis plusieurs jours. Je suis encore trop faible pour pêcher. Si je te laisse partir, je mourrai de faim…

Il faut que je te dévore !

Kanji le pêcheur ne savait plus quoi faire. Il avait été si gentil de transporter le vieux caïman jusqu'à cet étang éloigné pour le sauver. Pourquoi devait-il maintenant lui servir de repas ?

Kanji le pêcheur croyait vraiment qu'il allait mourir. Il pensait à sa femme et à ses enfants qui l'attendaient au village.

— Si je meurs, qui prendra soin de ma famille ? Qui donnera à manger à mes enfants ? Comment sauront-ils que je suis mort ?

3

Le renard pris à témoin

À ce moment, un renard surgit du bois : il avait dégusté un bon gigot de gazelle et venait s'abreuver.

Le renard observa la dispute entre le vieux caïman et le pêcheur. Il leur demanda de lui expliquer la raison de cette querelle.

Le vieux caïman parla le premier :

— Eh bien, je passais simplement mon chemin dans l'eau, et ce pêcheur est venu me provoquer au combat. Comme il a perdu la bataille, je dois le manger !

Le renard savait très bien que, dans ce village, tous les hommes respectaient les caïmans. Il sentait que le vieux caïman cachait probablement la vérité. Alors, il demanda à Kanji le pêcheur de lui relater ce qui s'était passé.

Et Kanji le pêcheur raconta au renard comment il avait transporté le vieux caïman jusqu'à cet étang pour ne pas le laisser mourir.

Toutefois, le vieux caïman insistait :

— Ne l'écoute pas, renard. Regarde ce pêcheur comme il est maigre. Il ne pourrait même pas me soulever.

Le renard réfléchit pendant quelques instants, puis il s'exclama :

— Tu as raison, noble caïman. Ce pêcheur est bien maigrelet. S'il t'a attaqué, je ne peux pas le défendre. Mais il mérite un châtiment avant que tu ne doives le manger. Qu'il te porte à l'endroit où il dit t'avoir ramassé et te ramène ici, puis tu le mangeras. Comme ça, il sera très fatigué, et sa chair deviendra plus tendre et délicieuse. Je vous accompagnerai moi-même pour qu'il n'essaie pas de s'échapper.

Le vieux caïman imaginait que le renard était de son côté, parce qu'il était aussi un animal. Il acquiesça :

— Oui, oui, qu'il me porte, et sa chair sera plus moelleuse !

Alors, le renard ordonna à Kanji le pêcheur de ligoter le vieux caïman et de le monter sur sa tête, comme avant.

4

Le triomphe de la ruse

Kanji le pêcheur sortit le vieux caïman de l'eau et emprunta le chemin inverse, vers l'endroit où il avait trouvé le vieux caïman.

Le renard, battant de la queue, escortait fièrement le cortège.

Enfin, ils arrivèrent au premier marigot. Il n'y avait plus une goutte d'eau : la terre était complètement

sèche.

Le renard indiqua à Kanji le pêcheur de déposer le vieux caïman solitaire. Ce qu'il fit, avec une grande précaution.

Le renard se tourna vers le caïman et lui dit :

— Tu as tout gâché, pauvre vieux caïman. Ce brave pêcheur t'avait secouru, mais tu as été ingrat ! Maintenant, te voilà à ton triste sort.

C'est ainsi que le renard et Kanji le pêcheur laissèrent là le vieux caïman solitaire, sur la croûte brûlante de ce lieu désert.

Kanji le pêcheur s'adressa au renard en souriant :

— Tu es plus sage que le plus sage des sages. À partir d'aujourd'hui, tu ne chasseras plus mes poules, et les hommes de mon pays ne te chasseront plus...

Depuis lors, dans cette contrée lointaine, le renard est devenu l'ami de l'homme. Tous les deux ont découvert qu'ils possèdent la même qualité : la ruse. Elle leur permet de vaincre les ennemis les plus féroces.

Quant au vieux caïman solitaire, la légende retient de son histoire que, à vouloir tout gagner, il a perdu la partie.

Table des chapitres

Pour connaître l'auteur...

Où êtes-vous né et où avez-vous étudié ?

Je suis né à N'Djamena, au Tchad. C'est en plein coeur de l'Afrique. J'ai habité cette ville jusqu'à l'âge de 12 ans.

Ensuite, la guerre a éclaté dans mon pays. Et j'ai voyagé dans beaucoup d'autres pays africains, avant de venir au Canada.

J'ai obtenu mon baccalauréat en science politique à l'Université de Moncton, au Nouveau-Brunswick, et j'ai poursuivi mes études de maîtrise et de doctorat au Québec.

Quelle profession avez-vous exercée par la suite ?

Comme il y avait la guerre dans mon pays, je me suis activement engagé dans le domaine politique. Je travaille à analyser des dossiers politiques et à faire des suggestions au gouvernement de mon pays, pour qu'il y ait plus de paix et de développement.

Depuis quand vous intéressez-vous aux contes ?

Quand j'étais enfant, dans mon pays, mon grand-père me contait toujours des histoires où il y avait des personnages d'animaux de toutes sortes : des lions, des panthères, des éléphants, des girafes…

Souvent, c'était la nuit, au clair de lune : je regardais scintiller les étoiles tout en écoutant les contes merveilleux de mon grand-père.

Maintenant, j'aime beaucoup partager

ces contes avec tous mes amis. C'est pourquoi j'ai écrit cette histoire pour vous.

Avez-vous l'intention d'écrire d'autres contes avec le personnage du caïman solitaire ?

Oui, le caïman solitaire a vécu de nombreuses aventures, et j'ai hâte de vous les raconter. Mais j'ai aussi d'autres personnages très intéressants. Alors, à la prochaine !

À propos de l'illustratrice…

Originaire du Québec, Denise Paquette a choisi de s'installer à Grande-Digue, au Nouveau-Brunswick. Elle y habite depuis 27 ans avec son mari, ses deux enfants, sa chatte et sa gerboise. Denise a d'abord enseigné le français à l'Université de Moncton avant de se consacrer à l'écriture et à l'illustration de livres destinés à la jeunesse. Depuis la publication de son premier album pour enfants, *Une promenade en girafe* (Éditions d'Acadie, 1989), elle a écrit et illustré plus d'une dizaine d'ouvrages pour la jeunesse. *Le Caïman solitaire* est le sixième roman qu'elle illustre pour Bouton d'or Acadie.

Publiés dans la même collection

Le Chef-d'oeuvre de Lombrie
texte de Sophie Bérubé
illustrations de Jocelyne Doiron

Tite-Jeanne et le Prince triste
texte de Melvin Gallant
illustrations de Denise Paquette

Tite-Jeanne et la Pomme d'or
texte de Melvin Gallant
illustrations de Denise Paquette

Le Papillon amoureux
texte de Soraya Benhaddad
illustrations de Joël Boudreau

À propos de Bouton d'or Acadie...

Depuis longtemps en Acadie, à la saison florissante, la nature est parsemée de marguerites jaunes qu'on surnomme boutons d'or. En hommage à cette vision fleurie, la fondatrice de Bouton d'or Acadie enr., Marguerite Maillet, a voulu représenter l'entreprise par le symbole floral que rappelle son prénom. Exprimant à la fois le respect d'un imaginaire ancestral et de l'éclosion de la jeunesse, Bouton d'or Acadie enr. participe au développement de la littérature jeunesse en Acadie et partout dans le monde. (Judith Hamel)

Achevé d'imprimer en octobre 2001 chez
Marc Veilleux Imprimeur inc.
Boucherville (Québec)